HERVÉ TULLET

La cucina degli Scarabocchi

L'ippocampo

Ricette

INSALATA VELOCE DI CERCHI

DELIZIA DI SCARABOCCHI

TORTA DI TRIANGOLI

INSALATA DI PASTA MILLECOLORI

MINESTRA DI ZIG ZAG

SPIEDINI BELLI E BUONI

SPAGHETTI MULTICOLORI

STUFATO DI PUNTI

CROSTATA DI RAGGI DI SOLE

INSALATA DI MANI

MARMELLATA MAGICA

RISOTTO BLU

BISCOTTO ROSSO RUBINO

SOUFFLÉ DI MATITE

TORTA MILLESTRATI

HAMBURGER DELUXE

TARTARE DI MATITE COLORATE

MINESTRA SENZA NOME

SORPRESA DELLO CHEF

Insalata veloce di cerchi

(ATTENZIONE: QUESTA INSALATA RIESCE BENE SOLO SE PREPARATA IN VELOCITÀ)

1. DISEGNA PIÙ RAPIDAMENTE POSSIBILE I SEGUENTI INGREDIENTI IN TANTI COLORI DIVERSI SUL TUO PIATTO.

UN CERCHIO GRANDE.

DUE CERCHI MEDI.

TRE CERCHI PICCOLI.

UN CERCHIO ALL'INTERNO DI UN ALTRO, CON DENTRO UN ALTRO CERCHIO.

UN CERCHIO CON DENTRO QUATTRO PUNTI ALL'INTERNO DELL'ALTRO CERCHIO.

DIECI CERCHI MINUSCOLI.

2. ORA RIPETI TUTTO, PASSO PER PASSO!

SCEGLI I CERCHI PIÙ BELLI SUL TUO PIATTO E DISEGNA TUTT'INTORNO UN ALTRO CERCHIO.

POI SCEGLI ALTRI CERCHI E RIEMPILI DI PUNTINI.

LASCIA RIPOSARE PER QUALCHE MINUTO PRIMA DI SERVIRE.

HAI GIÀ L'ACQUOLINA IN BOCCA?

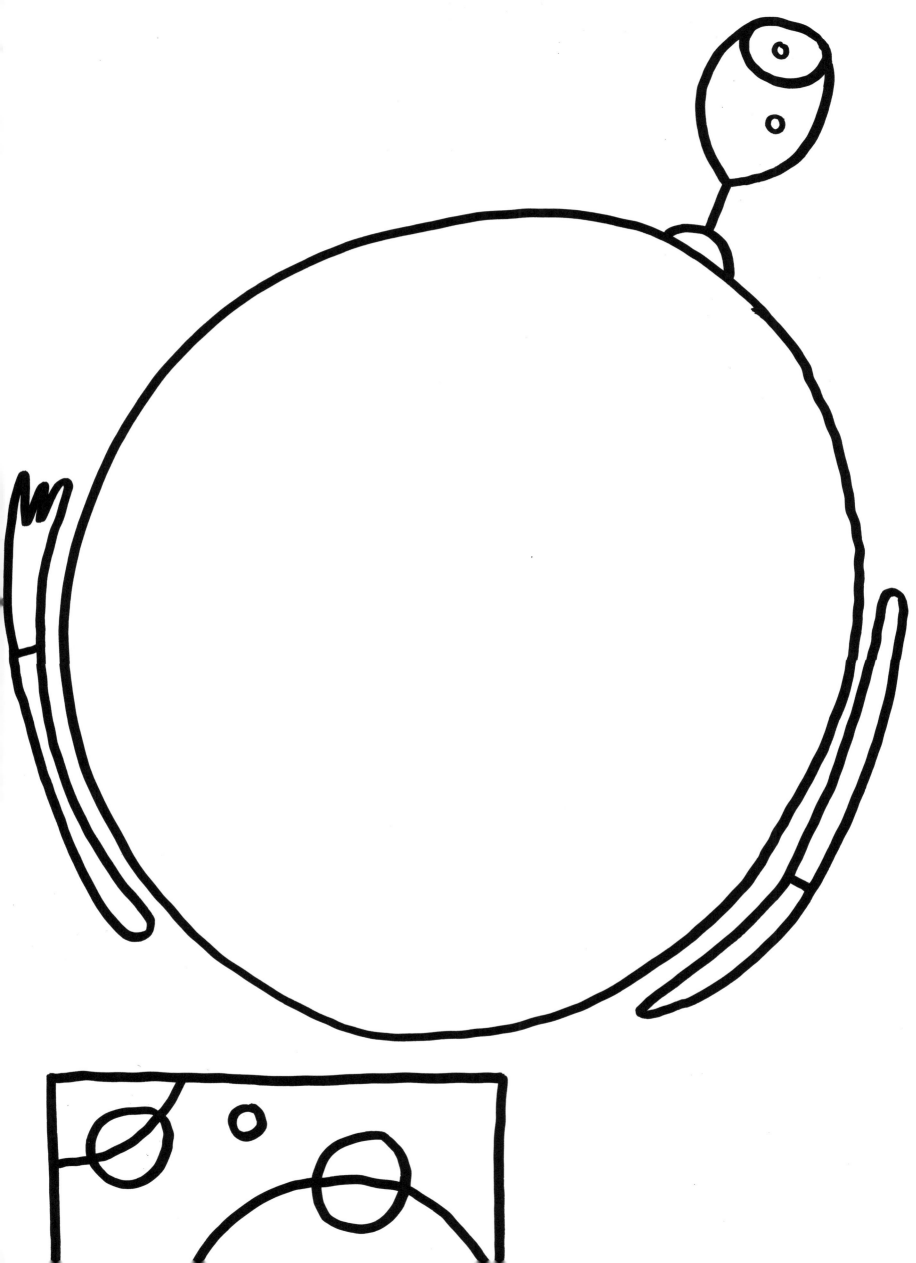

DELIZIA DI Scarabocchi

PRIMA DI TUTTO DISEGNA UN BELLO
SCARABOCCHIO GIALLO IN MEZZO AL PIATTO.

POI DISEGNANE SOPRA UN ALTRO,
PREMENDO UN PO' PIÙ FORTE CON LA MATITA.

ADESSO AGGIUNGI UN ULTIMO
SCARABOCCHIO CON TOCCO *Leggero*.

USANDO DIVERSI COLORI, SPARGI
SU TUTTO IL PIATTO QUATTRO SCARABOCCHI MEDI,
CINQUE SGORBI SPECIALI PICCOLI E OTTO
GHIRIGORI MINUSCOLI.

DISEGNA UN BEL CERCHIO INTERNO
A <u>TUTTI</u> GLI SCARABOCCHI E I GHIRIGORI.

DAI IL TOCCO FINALE AL TUO PIATTO CON
UNA SPRUZZATINA DI PUNTINI MULTICOLORI.

DAVVERO DELIZIOSO!

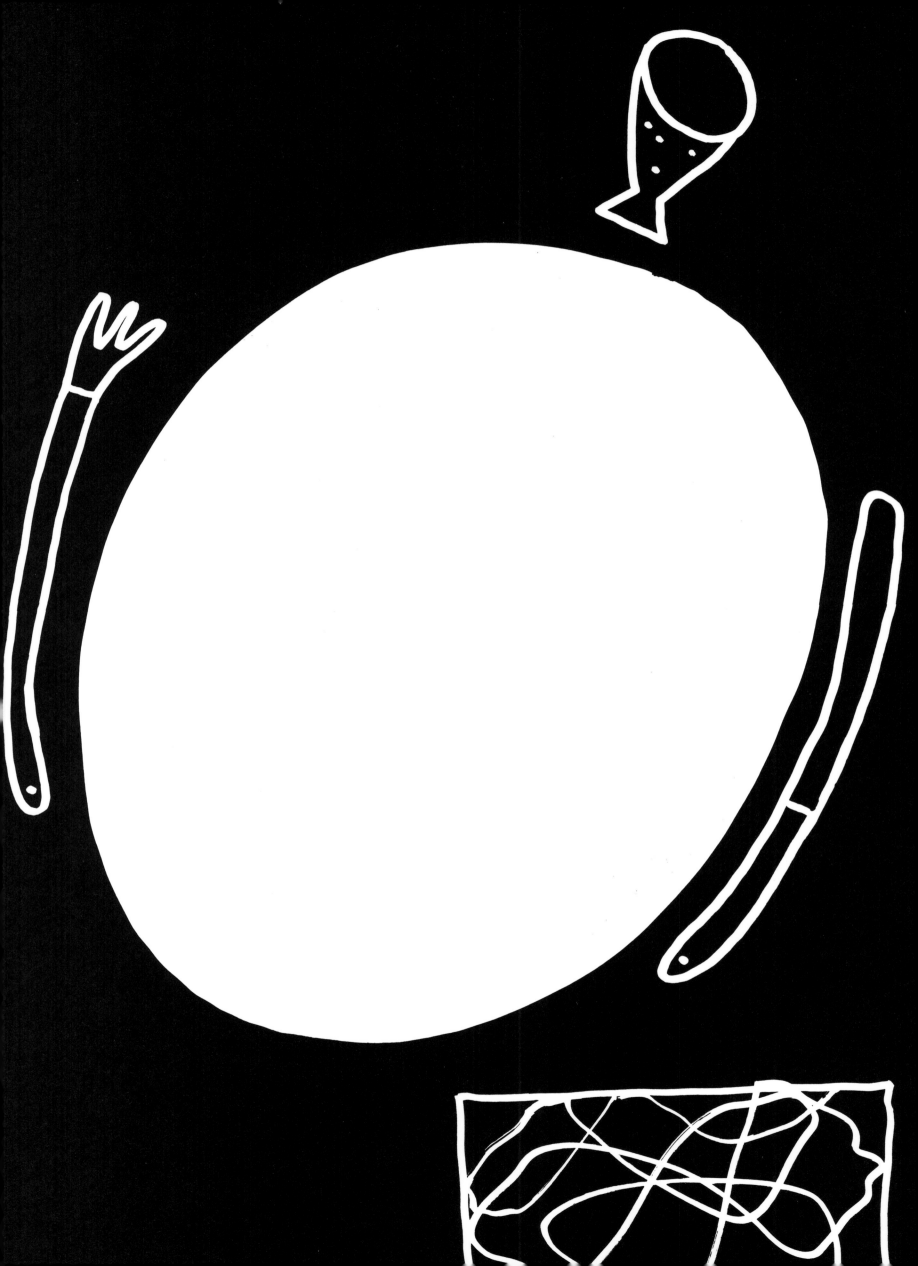

Torta di Triangoli

 Scegli un punto sull'orlo del piatto e da lì traccia diverse linee dritte che lo attraversano.

Poi scegli un altro punto sull'orlo del piatto e ripeti.

Ora disegnalo ancora una volta... e ancora una volta!

~~Ora des~~

Ora disegna (TRE) bei triangoli GRANDI.

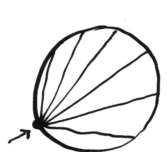

All'interno di ogni triangolo aggiungi alcune forme e completa con l'ombreggiatura.

● Decora la tua torta con tanti bei colori e aggiungi qualche piccolo TRIANGOLO a piacere.

voilà!

UNA TORTA PER TUTTE LE OCCASIONI!

Insalata di Pasta
MILLE COLORI

COSPARGI IL PIATTO CON UNA VENTINA
DI CERCHI PICCOLI.

POI DISEGNA VENTI OVALI.

INFINE AGGIUNGI UNA VENTINA DI MACCHIE.

ORA UNISCI TUTTE LE FORME IN QUESTO MODO:

COLORA TUTTE LE FORME PIÙ (VELOCEMENTE) POSSIBILE.

TRACCIA DELICATAMENTE CON LA MATITA
UN PERCORSO TUTTO INTORNO
ALLE FORME.

INSAPORISCI CON UN BEL PUNTO QUA E LÀ.

Eccola già pronta!

PUOI SERVIRLA COME CONTORNO
O COME PRIMO PIATTO.

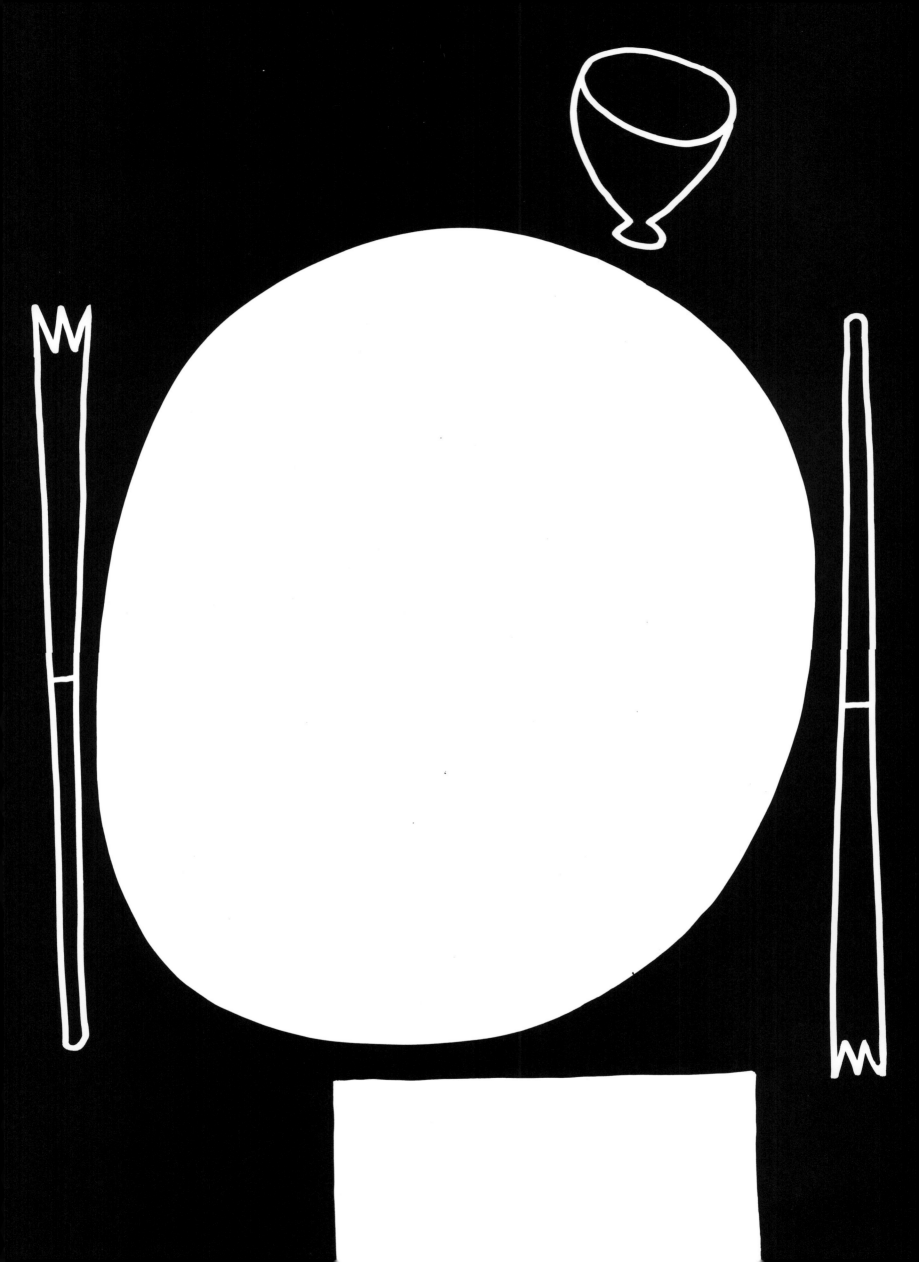

MINESTRA DI ZIG ZAG

DISEGNA UN GRANDE TRIANGOLO NEL PIATTO.

POI DISEGNA UN ALTRO TRIANGOLO, UN PO' PIÙ GRANDE DEL PRIMO.

ORA DISEGNA UN GRANDE CERCHIO.

ORA DISEGNA UN SECONDO CERCHIO, APPENA UN PO' PIÙ GRANDE.

DISEGNA UN GRANDE QUADRATO.

E ORA (SCOMMETTO CHE L'AVEVI GIÀ INDOVINATO) UN SECONDO QUADRATO PIÙ GRANDE.

ADESSO GUARNISCI LA MINESTRA CON TRE GRANDI ED *Eleganti* ZIG ZAG.

PERFETTO !

HAI QUASI FINITO.
ORA DEVI SOLO COLORARE ALCUNI SPAZI E RIEMPIRNE ALTRI CON L'OMBREGGIATURA E FORME DI FANTASIA.
INFINE COSPARGI CON UNA MANCIATA DI MINUSCOLI CERCHI, TRIANGOLI O QUADRATI A PIACERE.

BUON APPETITO !

Spiedini belli
e buoni

Disegna sul piatto quattro **GRANDI** linee ben diritte.

Sulla prima linea traccia una *Bella* fila di cerchi.

Sulla seconda linea aggiungi un'ordinata riga di quadrati.

Sulla terza linea disegna tanti allegri triangoli in fila indiana.

Sull'ultima infila una riga di scarabocchi *tondeggianti*.

Guarnisci gli spiedini con colori o forme di **FANTASIA**.

Infine insaporisci il tuo piatto cospargendolo con trattini *Delicati*.

Mi raccomando, va mangiato con le mani!

Spaghetti
MULTICOLORI

COMINCIA DIVIDENDO IL PIATTO IN SEZIONI QUADRATE DI DIVERSI COLORI.

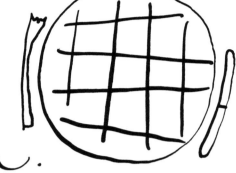

IN OGNI SEZIONE DISEGNA QUALCHE SIMPATICA *linea ondulata*.

POI COSPARGI IL PIATTO DI GRANDI ANELLI.

INFINE AGGIUNGI ALCUNI PUNTI ALL'INTERNO DI CIASCUN ANELLO.

CERCA DI DISTRIBUIRLI IN MANIERA UNIFORME.

(QUANDO PREPARO QUESTA RICETTA MI SEMBRA SEMPRE CHE MANCHI QUALCOSA. SE RIESCI A INDOVINARE DI CHE INGREDIENTE SI TRATTA, PUOI AGGIUNGERLO TU!)

Stufato di Punti

DISEGNA UNA SERIE DI CERCHI
ROSSI, **GIALLI** E **BLU**
SULL'ORLO DEL PIATTO.

POI, SEMPRE VICINO
ALL'ORLO DEL PIATTO, DISEGNA:
DODICI PUNTI GIALLI
DODICI PUNTI ROSSI
E **DODICI** PUNTI BLU.

ADESSO RIPETI QUESTA FANTASIA
DI PUNTI AL CENTRO DEL PIATTO...
PERÒ CON GLI *occhi chiusi*.

APRI GLI OCCHI. TROVA UN PUNTO SULL'ORLO
DEL PIATTO E DISEGNA UNA LINEA
CHE LO COLLEGA CON UNO DEI PUNTI
AL CENTRO DEL PIATTO.

(GIALLO CON GIALLO,
BLU CON BLU
E ROSSO CON ROSSO)

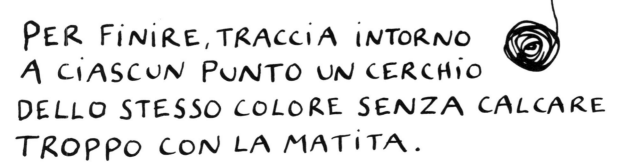

PER FINIRE, TRACCIA INTORNO
A CIASCUN PUNTO UN CERCHIO
DELLO STESSO COLORE SENZA CALCARE
TROPPO CON LA MATITA.

TUTTI A TAVOLA, RAGAZZI!

CROSTATA
di Raggi di Sole

DISEGNA AL CENTRO DEL PIATTO UN <u>PICCOLO</u> SOLE
CON SEI GRANDI RAGGI CHE ARRIVANO FINO ALL'ORLO.

POI DISEGNA UN SOLE <u>PIÙ GRANDE</u> INTORNO,
QUESTA VOLTA CON DIECI RAGGI.

ORA DISEGNA UN SOLE ANCORA PIÙ GRANDE,
CON ANCORA PIÙ RAGGI.

PER ultimo DISEGNA UN GRANDE SOLE
CON PIÙ RAGGI POSSIBILE.

AGGIUNGI TANTI RAGGI minuscoli TUTTO
INTORNO, SUL BORDO DEL PIATTO.

PER FINIRE COSPARGI DI TRATTINI
O RIEMPI QUA E LÀ DI COLORE
PER INSAPORIRE.

Attenzione:

È UN PIATTO MOLTO CALDO!

LASCIA RAFFREDDARE PRIMA DI SERVIRE.

Insalata di Mani

Metti una matita colorata al centro del piatto e disegna una grande spirale a partire da quel punto.

Poi appoggia una mano aperta sul piatto e tracciane il profilo con la matita.

Sposta la mano e tracciane nuovamente il profilo.

Ripeti il procedimento finché il piatto non è 'Bello' pieno.

Poi colora le punte di ciascun dito che hai disegnato.

Dai il tocco finale alla tua insalata, cospargendo di trattini a piacere.

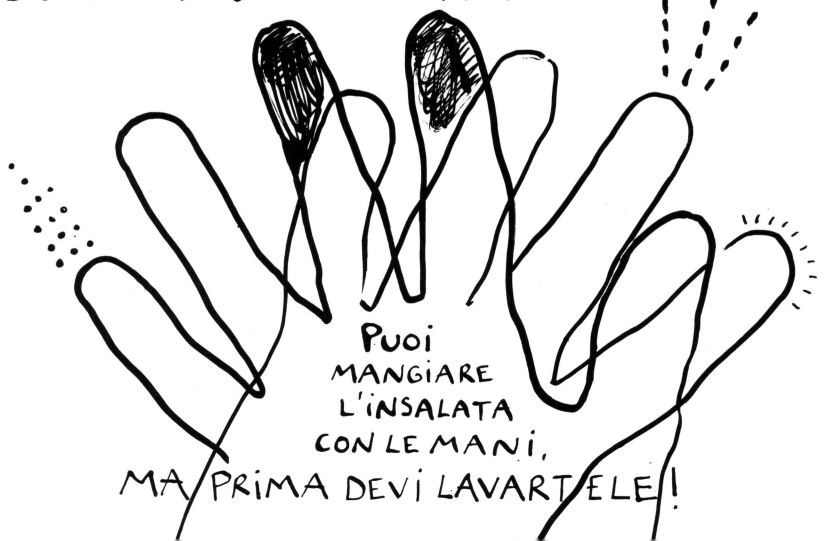

Puoi mangiare l'insalata con le mani, ma prima devi lavartele!

UN PIZZICO DI QUALCOSA QUA O LÀ...

CERCA DI INDOVINARE QUALI INGREDIENTI
HO USATO IN CIASCUNO DI QUESTI PIATTI !

Dai un nome alle ricette

HO APPENA FINITO DI PREPARARE ALCUNE DELLE MIE ULTIME RICETTE.

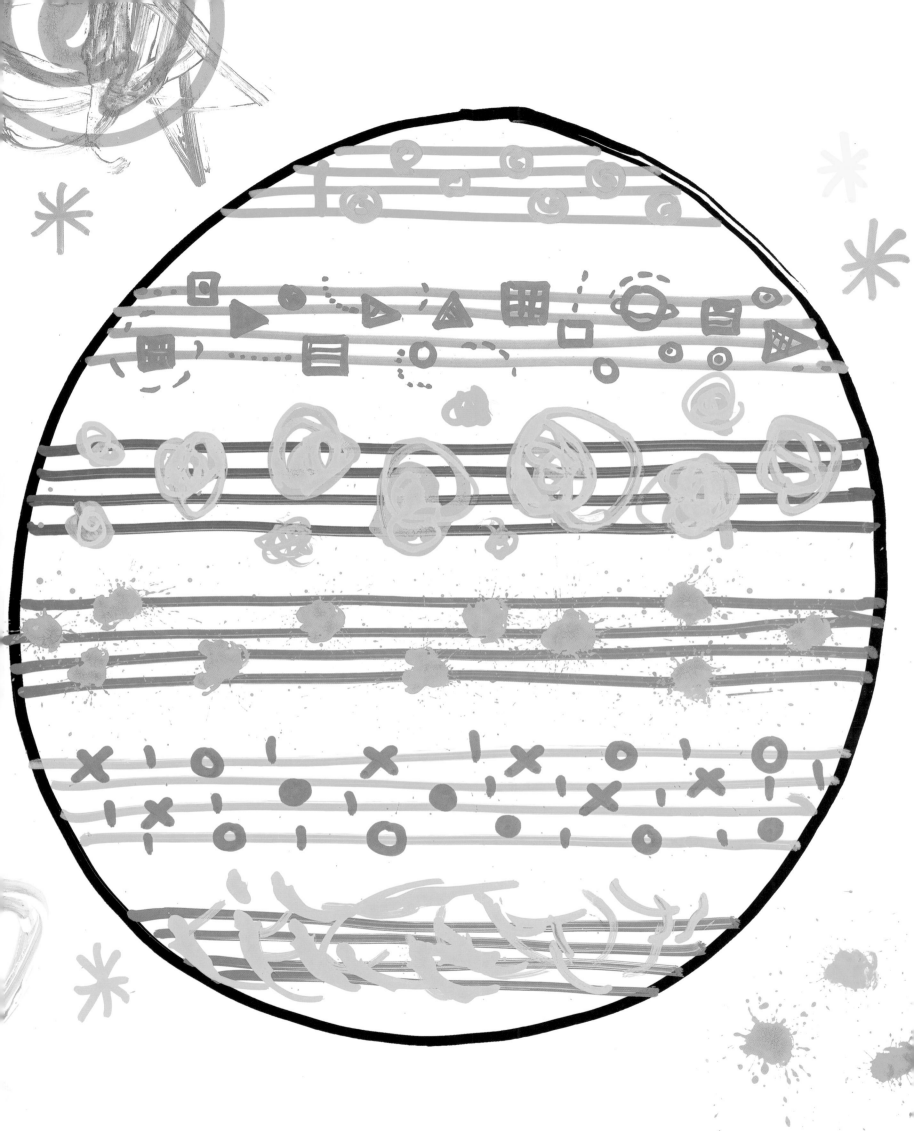

MI AIUTI A TROVARE UN NOME
PER OGNUNA DI ESSE ?

Marmellata
MAGICA

PRIMA DI TUTTO DISEGNA UN PUNTO CARINO (non TRoppo Piccolo) SUL PiATTO. ● TiENI DRITTA LA MATITA CON LA PUNTA APPOGGIATA SUL CENTRO DEL PUNTO.

ORA CHIEDI AL TUO AIUTO CUOCO DI SPOSTARE VELOCEMENTE IL LIBRO IN TUTTE LE DIREZIONI.

FAI ATTENZIONE A TENERE LA MATITA BEN FERMA. ● VEDRAI APPARIRE COME PER MAGIA TANTE BELLE LINEE.

ORA FAI UN ALTRO PUNTO CON UN COLORE DIVERSO E CHIEDI AL TUO AIUTO CUOCO DI Spostare DI NUOVO velocemente IL LIBRO.

RIPETI QUESTO PROCEDIMENTO DIVERSE VOLTE. POI DECORA ALCUNE DELLE LINEE CHE HAI DISEGNATO CON PUNTI DI TUTTI I COLORI.

SE VUOI PUOI DECORARE ANCHE L'ORLO DEL PIATTO CON I PUNTI ● ● ● ● ● ● ● ● ● ...

QUESTA MARMELLATA È ECCELLENTE COLAZIONE CON IL TÈ E LE FETTE BISCOTTATE.

Risotto Blu

0 - Riempi il piatto con un sacco di cerchi blu piccoli,

MEDI
E GRANDI...

Poi disegna un cerchio
più piccolo in un'altra tonalità
di blu all'interno di ciascun cerchio.

Quindi riempi ciascun cerchio
con trattini, croci, spirali,
puntini multicolori, cerchi, stelle,
impronte di dita e qualsiasi altra forma
ti passi per la mente.

Puoi provare questa ricetta con il rosso o il
verde per fare un risotto altrettanto buono
di colore diverso.

LA CENA È SERVITA !

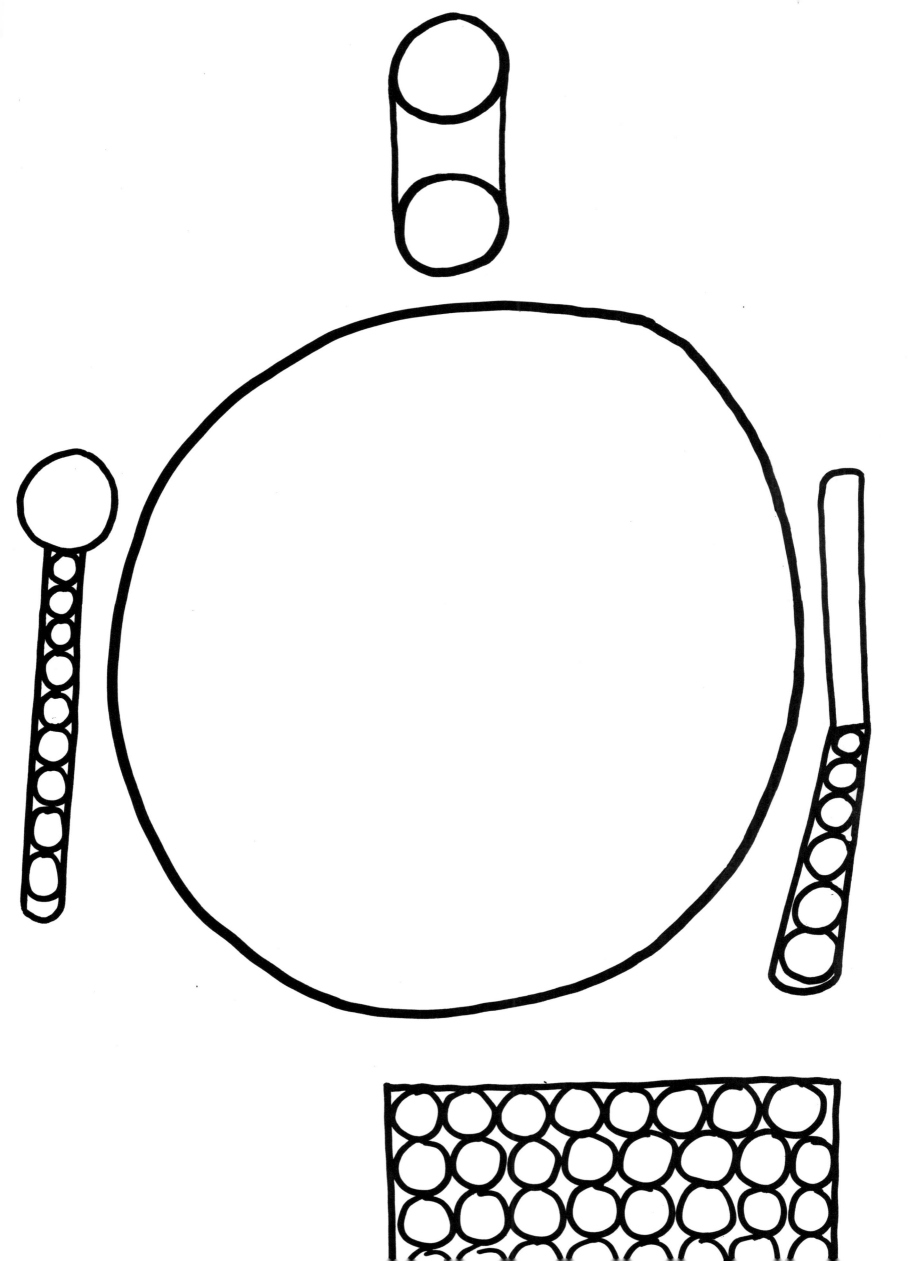

Biscotto Rosso Rubino

QUESTA RICETTA FARÀ BRILLARE LA TAVOLA !

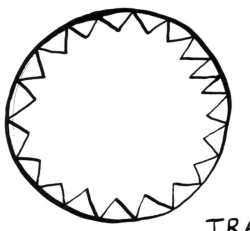

CON LA MATITA ROSSA DISEGNA UN FILA DI TRIANGOLI SUL BORDO DEL PIATTO.

POI FAI UN PUNTO AL CENTRO DEL PIATTO.

TRACCIANDO TANTE LUNGHE LINEE, CONNETTI IL PUNTO CON LA SOMMITÀ DI CIASCUN TRIANGOLO.

ORA COMPLETA CON UNA SERIE DI LINEE A **ZIG ZAG**.

COLORA GLI SPAZI, UNO SÌ E UNO NO, COME SE FOSSE UNA SCACCHIERA.

POI AGGIUNGI UN TRIANGOLO PIÙ PICCOLO ALL'INTERNO DI TUTTI I TRIANGOLI VICINI AL BORDO DEL PIATTO.

PUOI VARIARE I COLORI DI QUESTA RICETTA PER OTTENERE BISCOTTI **V**ERDE **S**MERALDO O **B**LU **Z**AFFIRO.

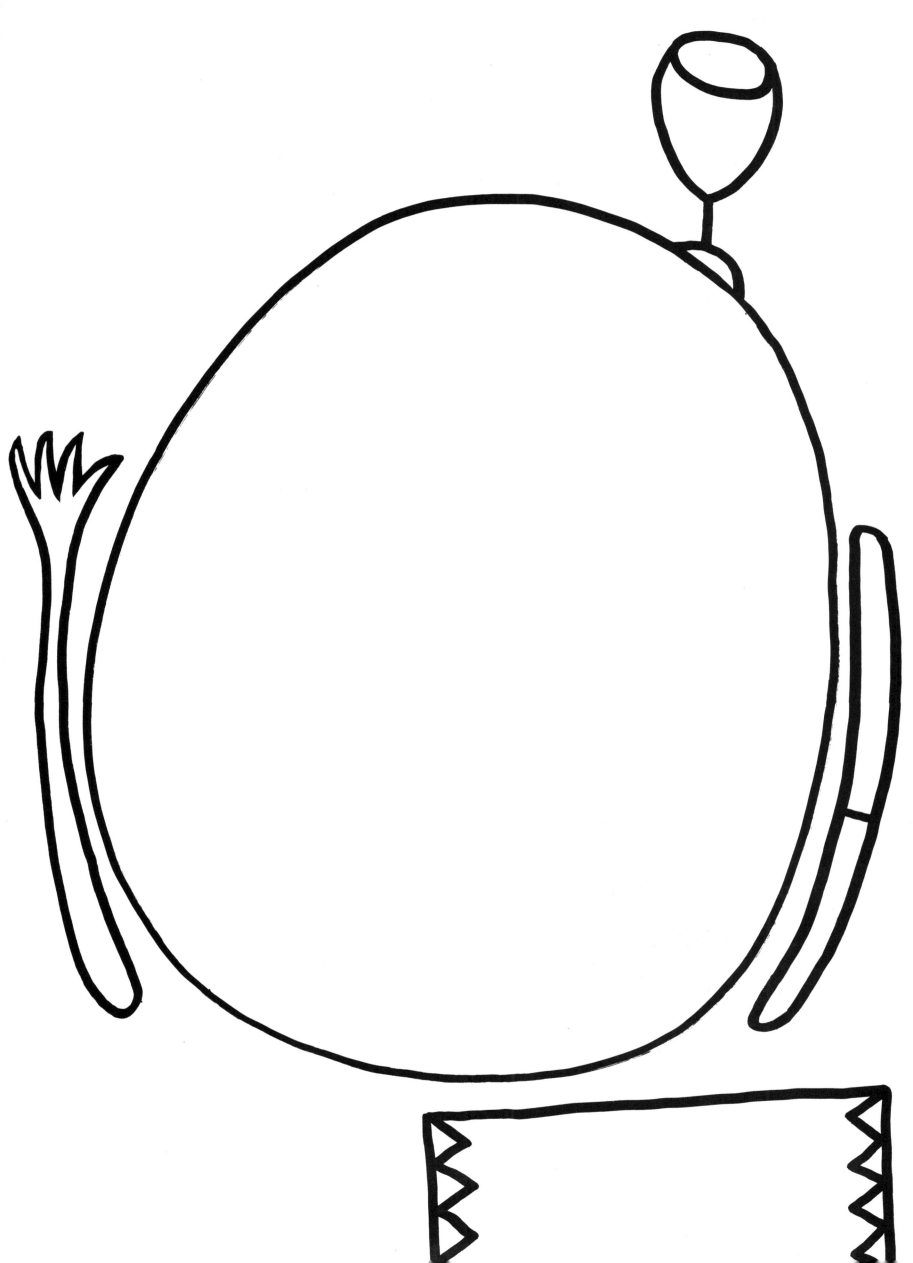

Soufflé di matite

PRENDI DUE MATITE E APPOGGIALE **SUL** PIATTO

- ADESSO TRACCIA IL **CONTORNO**
  DI CIASCUNA DI ESSE CON UN COLORE
  A PIACERE.

  ORA RESPIRA A FONDO E **SOFFIA**
  SULLE MATITE PER FARLE MUOVERE.

  TRACCIA NUOVAMENTE IL CONTORNO DELLE MATITE
  NEL PUNTO IN CUI SI TROVANO.

- RIPETI L'OPERAZIONE TUTTE LE VOLTE
  CHE VUOI.

  SE LE MATITE ROTOLANO VIA QUANDO SOFFI,
  RIMETTILE DELICATAMENTE SUL PIATTO
  E RICOMINCIA DA CAPO.

- QUANDO IL PIATTO È PIENO, METTI LE MATITE
  DA PARTE.

  COLORA A PIACERE SENZA DIMENTICARE
  L'OMBREGGIATURA.

  ...INFINE, TRACCIA UNA LEGGERA
  LINEA TRATTEGGIATA CHE PARTE
  DA OGNI SOUFFLÉ E CORRE
  TUTTO INTORNO AL PIATTO.

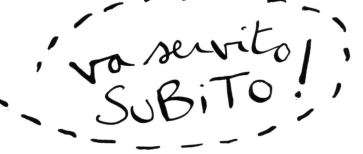

va servito
SUBITO!

TORTA Millestrati

PRENDI UN FOGLIO DI CARTA LEGGERMENTE PIÙ PICCOLO E METTITO SUL PIATTO.

ORA DISEGNA TANTE LINEE SOPRA IL FOGLIO E ANCHE SUL PIATTO. PROVA A DISEGNARE CON PIÙ MATITE CONTEMPORANEAMENTE.

RIPETI L'OPERAZIONE **CINQUECENTO** VOLTE, SPOSTANDO IL FOGLIO DA SINISTRA A DESTRA.

ALLA FINE AVRAI CINQUECENTO LINEE SUL PIATTO E CINQUECENTO LINEE SUL FOGLIO.

TAGLIA IL FOGLIO DI CARTA IN STRISCIOLINE E DISPONILE SUL PIATTO COME PREFERISCI. INCOLLALE.

Complimenti!

SOLO I GRANDI PASTICCERI SANNO FARE LA TORTA MILLESTRATI.

Hamburger
DELUXE

SULLA PARTE SUPERIORE DEL PIATTO TRACCIA UNA LINEA ORIZZONTALE DA SINISTRA A DESTRA E COLORA LO SPICCHIO DI PIATTO CHE STA AL DI SOPRA DELLA LINEA.

RIPETI NELLA PARTE INFERIORE DEL PIATTO.

PER RIEMPIRE IL PIATTO, PROCEDI COSÌ:

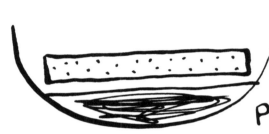

DISEGNA UN GRANDE RETTANGOLO APPENA SOPRA LO SPICCHIO INFERIORE DEL PIATTO E AGGIUNGI ALCUNI PUNTINI MULTICOLORI.

AL DI SOPRA DI QUESTO AGGIUNGI UNO STRATO DI ANELLI DALLA FORMA ELEGANTE E QUALCHE PUNTINO MULTICOLORE.

 ← CONTINUA CON UN ALTRO GRANDE RETTANGOLO.

COPRILO CON UNA LEGGERA OMBREGGIATURA E UNA FILA DI TRATTINI.

ORA AGGIUNGI UN ALTRO GRANDE RETTANGOLO...

COPRILO CON UNA LINEA DI CROCI E PUNTI.

CONTINUA ALTERNANDO GLI STRATI FINO A CHE NON AVRAI RAGGIUNTO LO SPICCHIO COLORATO ALLA SOMMITÀ DEL PIATTO.

Ecco un Hamburger che piace perfino a mamma e papà!

TARTARE
di matite colorate

DISEGNA SUL PIATTO UNA *Bella* MACCHIA **GRANDE**

ORA, TENENDO CONTEMPORANEAMENTE TRE MATITE,
TRACCIA VIGOROSAMENTE DEI TRATTINI VELOCI
(ALL'INTERNO) DELLA MACCHIA, IN TUTTE LE DIREZIONI.

RIPETI L'OPERAZIONE CON TRE MATITE DIVERSE,
CALCANDO UN PO' MENO.

RIEMPI ABBONDANTEMENTE LA MACCHIA.

ORA DISEGNA UNA PIOGGIA COLORATA CHE CADE
DALLA TUA MACCHIA COME SE FOSSE UNA NUVOLA.

AGGIUNGI ALCUNI *fantasiosi* SCARABOCCHI
SULL'ORLO DEL PIATTO, POI GUARNISCI OGNI
SCARABOCCHIO CON UNO SGORBIO
SPECIALE DI COLORE DIVERSO.

LA TARTARE NON PUÒ ATTENDERE, QUINDI DACCI SOTTO!

Minestra Senza nome

DISEGNA SEI GRANDI LETTERE A PIACERE SUL TUO PIATTO.

COSPARGI IL PIATTO CON LE LETTERE DEL TUO COGNOME.

RIPETI L'OPERAZIONE CON IL NOME E COGNOME DI QUALCUNO CHE TI STA MOLTO SIMPATICO!

ACCANTO A CIASCUNA LETTERA SCRIVI UNA O PIÙ LETTERE PER FORMARE DELLE SILLABE.

(SE NON SEI SICURO DI CHE ASPETTO ABBIA UNA SILLABA CHIEDI AL TUO AIUTO CUOCO)

ADESSO TRACCIA UNA LINEA INTORNO AD ALCUNE SILLABE

Leggile a voce ALTA...

Ed Ecco Trovato

IL NOME DELLA TUA MINESTRA!

Sorpresa dello chef

DISEGNA QUELLO CHE VUOI SUL PIATTO PER DIECI SECONDI.

ORA DISEGNA DI NUOVO LA STESSA COSA... MA CON L'ALTRA MANO.

ADESSO DISEGNA UNA BELLISSIMA FORMA... CON GLI OCCHI CHIUSI !

Poi DISEGNA DI NUOVO LA STESSA COSA... QUESTA VOLTA CON GLI OCCHI APERTI.

CHIUDI DI NUOVO GLI OCCHI E DISEGNA OTTO CROCI E OTTO CERCHI SU TUTTO IL PIATTO.

ADESSO APRI GLI OCCHI.

PRENDI DUE MATITE IN OGNI MANO E COLLEGA OGNI CROCE CON UN CERCHIO CON UNA BELLA LINEA DRITTA. PROVA A FARLO USANDO TUTTE E DUE LE MANI ALLO STESSO TEMPO.

Poi, SEMPRE USANDO TUTTE E DUE LE MANI, COLORA, SCARABOCCHIA E DECORA IL PIATTO A PIACERE.

DA DIVORARE IMMEDIATAMENTE!

Complimenti,
SEI UN ARTISTA-CHEF!

È GIUNTO IL MOMENTO DI CREARE
UN PIATTO TUTTO TUO!
GIOCA CON GLI INGREDIENTI,
DECORA A PIACERE E DAI UN NOME
AL TUO CAPOLAVORO.

Visto ?
Cucinare è un'espressione
della TUA Personalità
Aggiungi
un Pizzico di PASSIONE
Affidati AL caso
E diventerai
un vero Maestro della
Cucina Creativa !
Buon divertimento !

Prima pubblicazione
© 2011 Phaidon Press Limited,
2 Cooperage Yard, E15 2QR, Londra, Regno Unito
Titolo originale: Doodle Cook

Questa edizione italiana è stata pubblicata nel 2018
da L'ippocampo Edizioni, corso Magenta 69, 20123, Milano, sotto licenza:
Phaidon Press Limited, 2 Cooperage Yard, E15 2QR, Londra, Regno Unito.

www.ippocampoedizioni.it

www.herve-tullet.com

ISBN 978-88-6722-421-0

Traduzione dall'inglese: Eleonora Zoratti, per Zoratti studio editoriale
Progetto grafico di Sandrine Granon

Stampato in Cina